결국 그들에게 돌아가 위로를 받는다

결국 그들에게 돌아가 위로를 받는다

발 행 | 2024년 6월 20일
저 자 | 이 진
기 획 | 인천광역시교육청중앙도서관
펴낸이 | 한건희
펴낸곳 | 주식회사 부크크
출판사등록 | 2014.07.15.(제2014-16호)
주 소 | 서울특별시 금천구 가산디지털1로 119 SK트윈타워 A동 305호
전 화 | 1670-8316
이메일 | info@bookk.co.kr

ISBN | 979-11-410-9066-1
본 책은 인천광역시교육청중앙도서관의
2024년 읽·걷·쓰 사업의 일환으로 제작된 도서입니다.
www.bookk.co.kr

결국
그들에게
돌아가
위로를
받는다

이진 지음

목 차

1부 , 운동화

2부 , 들꽃이야기

3부 , 엄마

4부 , 아버지는 왜 웃지 않았을까

1 부 ,

운동화

겨울 강가를 서성거려요

엄마는 말씀하셨죠
얘야 물가에는 가지 말아라
몸도 마음도 물기를 먹으면
무거워 못쓴다

강가에선 아무렇지 않은 척
몰래 눈물을 흘려요
강가에선 지나가는 이의
눈물을 자세히 보지 마세요

물이 가득한 강은
어제보다 더 천천히 흘러요
어쩌면 나아질
기회를 주고 있는데
내가 알지 못하는 걸까요

엄마는 말씀하셨죠
얘야 물가엔 가지 말아라
한기 들어 아플라
어서 집으로 돌아가

나로 살아야겠어요

잠시 망설이던 강도
이제 편안히 흐르겠군요

운동화

운동화만 신으면
굽은 허리 흔들리는 무릎도
꼿꼿한 허리 짱짱한 다리가 되었다

시장으로 병원으로 경로당으로
꺼슬꺼슬한 아버지 발
마법 양탄자라도 탄 걸까?

작년 봄
아버지는 운동화 대신
꽃신을 신고 여행을 떠나셨다

낡은 운동화
버려야지 하다 신어보니
꺼슬꺼슬한 바닥

아버지의 발이다

아침 인사

현관문이 열릴 때마다

여보 나 갔다 올게.
엄마 학교 다녀오겠습니다.
아들 밥은 먹고 가야지.

모두 나가고
조용한 아침
똑똑 물방울 두 개
샤워 꼭지 따라
미끄럼 타고

나란히 걸린
칫솔 세 개
깨끗해진 얼굴
거울에 비춰 보면서

식구들 다시 만날
저녁 시간을
얌전히 기다립니다

붕어빵

붕어빵이야 똑 닮았지
아들은 아빠
아빠는 아들
멀리서 봐도 금방 알 수 있어

어릴 적 사진 봐봐
너무 똑같아
엄마인 나도 깜짝 놀라는 걸
너도 모를 걸
누가 누군지

사진 속에서
빵긋 웃고 있는 두 얼굴
괜스레 얄미워 쥐어박다가도
덩달아 나도 웃고 말지

우리 집 붕어빵
달콤한 두 남자
어떻게
사랑 안 할 수가 있겠어

복실이

저녁노을 마당에 이불처럼 깔리면
할머니와 복실이는
물에 밥 말아 마주 보며
꼭꼭 씹어 먹는다
밥심으로 사는 겨 알아듣지 못하는 말
복실이는 열심히 밥을 먹었다

저녁별 내려와 마당에 불 밝히면
툇마루에 앉은 할머니 무릎에 누워
요단강 건너가 만나리
할머니 찬송가 소리 들으면
잠투정하듯 파고드는 복실이
이유도 없이 눈물이 났다

엄마나무

아기나무가 엄마나무에게 물었다
"엄마! 엄마는 언제부터 그렇게 큰 나무가 되었어요?"
엄마나무는 아기나무의 머리를 쓰다듬으며 말했다
"엄마는 너를 만나 엄마라는 나무를 심었지
그 나무도 너처럼 아주 작은 나무였단다

너의 볼이 통통해지고, 너의 키가 자랄 때마다
따가운 햇살에 너를 가리기 위해, 잎을 키웠고
차가운 바람에 너를 안기 위해, 줄기를 키웠지
어두운 밤엔 너를 지키기 위해, 튼튼한 뿌리를 만들었고
네가 자라듯이, 엄마나무도 너와 함께 켜져갔단다."

아기나무가 또 물었다
" 나는 언제 엄마나무처럼 될 수 있을까요?"
엄마나무는 아기나무의 통통한 볼을 만지며 말했다
"애야, 아직은 좀 더 자라야 할 때란다
그 때까지, 엄마나무가 더 커져서 너를 지켜줄게
너는 그저 편안히 자라렴
언젠가는 엄마나무보다
훨씬 크고 풍성한 나무가 되어 있을 거야"

바로 그때,
아기나무의 겨드랑이에서
보드라운 연두색 잎이
빼꼼하고 솟았다

계란찜

계란 풀고 불 약하게
노란 물 올록볼록 뭉치면

고소한 냄새 가득
침 넘어가도 조금만 참아

이렇게 부드러워지려고
뜨거운 불을 끌어안고 있었니

계란찜 한 수저
뜨거운 밥에 비비면

나도 너에게
몽글몽글 스며들고 싶어

지팡이

식은 밥 후루룩 말아 먹고
십 원짜리 화투 치러
오늘은 딸 거나 잃을거나
굽은 허리만큼 휘어진 지팡이
동무 삼아 흔들흔들 고개 넘어간다

홍옥처럼 붉은 강화 댁
먼저 간 서방 손처럼
지팡이 꼭 쥐고 고개 넘어온다
딴 돈은 없어도 달빛에 취했나
타령 한 자락 고개에 깔리고
흔들흔들 지팡이 춤을 춘다

재회

밤나무 길을 따라
아버지 보러
자란 풀이
내 키만큼

바람 사이로
들리는
아버지 목소리
왔냐.

다시 와 언제 올래
풀 사이
꼭 잡은
아버지 손

검암역

새벽 다섯시 이십 문
검암역 첫 차를 기다린다
하늘엔 아직 별이 남아있는데
아침해는 어디만큼 왔을까

컴컴한 역사에는
먹고 살아야 하는 하루
어깨에 짊어진 사람들
허연 입김 안개처럼 자욱하고

오늘도 명랑한 안내방송
아침해를 지붕에 얹고
첫차가 달려오면
우린 다시 씩씩해진다

덜 깬 잠 부스스한 얼굴
앞사람과 눈 마주칠까
서둘러 자릴 찾아 앉으면
알았다는 듯 속도를 내고
창밖은 서서히 환해진다

편지

공원 벤치에 앉아 당신에게 편지를 씁니다
아기 손바닥 같은 은행잎 하나 주워
틈 사이로 비춰봅니다
당신인 듯 햇살인 듯 눈이 부시네요

눈 감고 있으면
가만히 내 볼을 감싸는 당신
바람 따라 잠시 왔다 갔을까요
눈이라도 마주쳤다면 좋았을 텐데요

입술을 동그랗게 모아 휘파람을 불어봅니다
역시 소리가 잘 나오질 않아요

휘파람도 못 부냐며 놀리던 당신
혼자 바보처럼 웃고 말았네요

곁에 없지만 곁에 있는 당신
눈물 같은 잎 하나 떨어집니다
볕에 말린 마음 접어 주머니에 넣고
이제 그만 일어나야겠어요

당신
내 가는 뒷모습 보아 주실 건가요
절대 뒤는 돌아보지 않겠어요

가을볕

울 엄마 햇볕 좋은 날이면
볕이 아깝다 하셨지
잘 익은 고추 볕 좋은 마당에
널어놓으면 잘 마를텐데

새끼들 입에 들어갈 거라고
암만 닦고 또 닦아야지
엄마랑 같이 늙은 칠 벗겨진 가위
꼭지 떼고 배 갈라 씨 빼면

맵다고 새끼들 오지도 못하게 한
울 엄마 옆자리 슬며시 앉아
자글자글 빠알간 손 만지면
매운 눈물 한 방울 떨어진다

사과

사과 팔러
장에 간 엄마

사과나무 아래
노래 열 번만
부르면 온댔는데

열 번을 열 번이나
불렀어도
오지 않는 엄마

눈물 꼭 참아
사과 한 입 먹고
다시 부르는 노래

용한 점집

사는 것이 하도 답답해
용타는 점쟁이
도움이라고
받아볼까 찾아갔다

뭐 잘 풀릴 방법 없을까요

밥 굶어? 아니요
어디 아파? 아니요
백수야? 아니요

그럼 그냥 사는 데로 살아
시답지 않은 소리 하지 말고

시답지 않은 시인을
어찌 알았을까
용한 점쟁이가 맞나 보다

복채 오만 원을 공손히 드리고
한바탕 웃었다

제주

밤새 부는 바람
온 섬이 들썩거렸다
기어코 섬을
들고 가려는 걸까
누구 하나 잠들지 못했다

처음 만난 섬바람
풀지 못한 가방
여행자는
숨을 곳을 찾지만
정작 숨을 곳은 없었다

지친 섬
돌담 위에서 졸고
키 작은 동백나무 옆
붉은 꽃무덤
바람은 꽃을 데려 갔다

바람이 앞서간
길이 궁금해진
여행자는
섬을 떠나지 못했다

시 .

욕을
진탕 먹었다

분해서
며칠을 씩씩거렸다

꼴도 보기 싫어
등을 돌렸지만

한 사나흘 지나니
그립다

잘난 것이 많아
화도 많이 났겠지

하긴 어디 가서
이런 뜨거운 욕을 먹을까

고개 숙이니
발등에 시가 떨어졌다

살아있네

통화기록만 보면
내가 얼마나 유명인인지

인터넷 가입 2건
카드 회사 3건
보험 회사 2건
국제 전화 2건
받을까 말까 5건

혹시 길에서 만난 강아지도
알아보고 짖을 수 있으니
유의할 것

살아 있네
살아 있어

내일은 오늘보다
더 알려지겠지

십분의 잔상

약속 장소에
십분 일찍 나갔다
어쩌다 보니
퇴근이 빨라서
차를 일찍 탔을 뿐
별 의도는 없었다

친구는
십 분 늦을 것 같다고
미안하다 했다
괜찮다고 천천히
오라고 한 뒤
메뉴판을 본다

메뉴가 이렇게 많았었나
주문한 차를 마시려다
잠시 창밖을 본다
거리에 가득한 사람들
무슨 약속이 있을까

카페 문이 열리고
얼굴이 달아오른
친구가 뛰어온다
살이 좀 빠진 것 같다
어디 아픈 건 아니겠지

앉기도 전에
미안해 미안해
우린 작은 일에도
미안해야만 하는
착한 버릇이
배여 있나보다

다시 생각해 보면
십분 속에는
친구의 십분도
들어 있었다
내가 가졌던 이십분
고마운 건 나야

낙엽

떨어진 낙엽
차마 밟을 수 없어
기름기 없이
바싹 마른 늙은 잎
한때는 흑녹색 건장한 잎
두려울 것 없던 때도 있었지

제 몸의 수분 양분
뿌리로 열매로 다 내어주고
바스러진 몸뚱이마저
겨울살이 배곯지 말라고
거름 되어 내어주면

누가 기억할까
늙은 이파리 하나
차마 밟을 수 없어
멀리 돌아갔다.

아이

밤에도 아이는 자랐다
꿈속에서 발가락이 자랐다
새로 산 신발은 꾸었던
꿈만큼 작아졌다
몇 켤레의 신발을 신었을까
이젠 발가락이 자라지 않아요
집 떠나는 날 아이는 말했다

남겨진 아이의
신발을 사러 나간다
골라주는 데로 잘 신는
착한 아이의 발이
어젯밤 꿈을 꾸었나
작아져 있다

신발 끈을 단단히 묶어주며
밥 좀 많이 먹어야겠네
더 이상 자랄 일 없는
아이의 손을 잡고
해장국을 먹으러 갔다

우리에겐

꽃에서 향기가 나듯
향기가 나는 사람이 있다

샘에서 퍼올린 맑은 물처럼
마음이 맑은 사람이 있다

추운 겨울 뜨끈한 국수 한 그릇처럼
가슴이 따뜻한 사람이 있다

위로받을 곳 없어 헤매다가도
결국 그들에게 돌아가 위로를 받는다

가을 편지

언제부터 찬바람이 붑니다
해는 점점 짧아지고
길어진 밤은 시린 별이 가득 한데
당신은 떠날 준비를 하고
저에게 오실 땐
짐으로 가득했던 당신의 가방
다시 싸려니 담을 것이 없네요
가을 선물 한아름 주셨는데
저는 그저 받기만 했습니다
빈 가방도 괜찮다며 웃는 당신
두툼한 옷 한 벌 담았습니다
어디로 가시는 지 알 순 없지만
추운 겨울 잘 지내시고
우리 다음에
고운 모습으로 다시 만나요

새해 첫날 아침에

갑진년 첫날 아침
노트
첫 페이지에
어떤 시를 쓸까
생각해 봤어

역시
잘 떠오르지를 않아
갈 길이 먼 나의 시
뭐 어때
괜찮아 괜찮아

이제 날이 밝았으니
나의 시는
겨우 두 살인 걸
첫 페이지를 넘겼으니
두 살이 세 살 되고
세 살이 열 살 되겠지

마음을 닦고
시를 닦고
세상을 비추는
맑은 시를 향해
난 오늘 다시
첫 발자국을 떼겠어

안녕!
두 살 먹은
나의 시

겨울나무

산길에서 만난
겨울나무
달린 나뭇잎 하나 없이
말라 비틀어져
갈라진 껍질

칼바람이 불고
뿌리 속이 땡땡 얼어도
누구 하나
보아주는 이 없어
혹시 죽은 나무일까

가만히 안아본다
들릴 듯 말 듯
물 흐르는 소리
쿵 쿵
가슴이 뛰는 소리가 들린다

나무가 속삭인다
내가 버티듯
너도 버티라고

겨울에도
나무는 숨을 쉰다

눈 오는 밤

눈은 아버지 발걸음처럼 온다

24시간 맞교대 근무
하늘 볼 일 없는 아버지
출퇴근 버스에서도 잠자느라
하늘 볼 일 없었지
덜 깬 잠을 툭툭 털고
내린 길가에
발목까지 쌓인 눈
신기한 듯 쳐다보다가
손 넣어본 작업복 호주머니
언제부터 있었는지 모르는
만 원짜리 두 장
돈 쓸 일 없던 아버지
치킨 한 마리 값
새끼들 좋아할 생각에
눈길을 걸어가는
아버지

눈이
아버지 발걸음처럼 온다

로또

자동 오천 원 주세요
일 등만 되면
그리 쉽게 될 행운이면
진작 왔겠지 하면서도
토요일 아침은
복권가게로 향한다
구겨질세라 곱게 펴서
지갑에 넣고
휘파람을 분다
일등만 되면

자동 오천 원 주세요
일 등만 되면
까짓 번호 세 개라도 맞아야
면목이 서는데
토요일 아침 복권가게
번호 세 개도 못 맞힌
못난 사람들 뒤에 줄을 선다
숫자 다섯 개
꼭꼭 눈도장을 찍고
일 등만 되면

정답

암울한 인생이라 누구를 탓하겠나
엉킨 실 풀어가며 사는 게 인생이야
살아봐 살다 보면은 잘 풀릴 날 있겠지

정답을 먼저 알면 재미가 없을까봐
한 고개 넘어가면 두 고개 기다리나
다람쥐 쳇바퀴처럼 돌고 도는 인생사

시원한 해답 없어 답답한 속이지만
주어진 하루하루 소중히 여기면서
자신을 사랑하는 법 그것이 바로 정답

어쩌면 이미 답은 내 안에 있을 거야
오늘이 힘들어도 조금만 울길 바래
내일의 나는 환히 웃을 테니 믿어봐

수요일의 습관

수요일엔
비가 내린다
라디오에선
목이 쉰 가수가
노래를 부르고
꽃집 주인은
팔리지 않는
장미를 진열한다
누군가는 시들은
꽃 한 송이를 들고
비를 맞는다

뫼비우스의 띠 같은 하루
습관의 시작을
아무도 알지 못한 채

이제
화창한 수요일은 옳지 않다

내가 하는 일

기상청 일기예보
잠이 달아난다
대설주의보
집사람 걱정 한 보따리

무거운
안전화를 신고
눈 쌓인 거리
나의 일터

소금 뿌리느라
끝없는 삽질
흘린 땀도
소금 되어 길에 떨어지고

하다못해 강아지도
좋아라 뒹구는 눈밭에
물 한 잔 마시고
다시 삽질

하지만
눈 녹은 길
무탈하게 지나는
차와 사람들
흘린 땀에선 단 맛이 나는
난 도로보수원

2 부 ,

들꽃이야기

봄

오랜만에 새소리를 들었다
무엇이 저리 신날까
귀를 대보지만
알아들을 수 없다
한참을 동네가 시끄럽겠다

베란다 구석 버리려던
죽은 철쭉에서
보란 듯이 꽃이 피었다
얼마나 내가 밉상이었을까
미안했지만 모른 척 물을 주었다

길가 할머니에게
냉이 한 봉지를 샀다
뚝배기에 된장 풀고 끓이니
어느 밭고랑 흙 맛인지
밥 한 공기를 비웠다

엄마에게 전화를 걸었다
밥은 잘 먹고?
아픈 데는 없고?
한참을 듣기만 하더니
야, 밖에 좀 봐라
해가 참 좋아

오늘은 해가 참 좋은 날이었다

잠시, 잊기

집 밖을 나왔다
느낌이 이상하다
휴대폰을 두고 나왔다
집으로 다시 갈까?
잠깐 흔들린다
그래, 오늘은 그냥 나가보는 거야

버스를 탔다
휴대폰을 만지느라
고개 든 사람이 없다
창가에 기대어 본다
햇살이 기분 좋게 따뜻하다

창밖으로
세탁소 아저씨 미끄러지듯 다림질
과일과게 아줌마 양 볼이 사과처럼 붉고
삼거리 모퉁이 나물 파는 할머니 꾸벅꾸벅

창문을 열어본다
바람 한 줄기 살짝 옆자리에 앉고
버스는 어느새 목적지에 도착

습관적으로 주머니에 손을 넣다가
아차, 하며 혼자 웃으며
바라본 하늘 유난히 파랗다

개나리 팝콘

언제 저렇게 소리도 없이
노란 팝콘이 되었을까
분명 어제까지도
몽글 몽글 했었는데

달착지근 봄비
흠뻑 마시고
톡 톡
잘도 터진다

떨어진 개나리 팝콘
손바닥에 살짝 쥐어 본다

마음 어디선가
톡 소리가 들린다

이 봄
나도 꽃이 되려나
속도 없이
생글생글 웃었다

들꽃 이야기

날마다 들꽃들과
만나는 시간
들에 피어 들꽃

우리들 마음속에
피어 마음꽃
꽃말 속 깊은 뜻

오늘은 어제보다
더 무릎 굽혀
꽃을 바라본다

대추꽃

대추 꽃 작은 꽃눈
잎겨드랑이
몰래몰래 숨어

잎인 듯 줄기인 듯
수줍은 마음
아직 피지 못해

달빛이 가득한 밤
벌어진 꽃잎
우리 처음 만남

등골나물꽃

등골이 휘어지게
농사지어도
늘 배고픈 새끼들

밥알이 꽃술 되어
천지 피었네
아가 들로 가자

흰 꽃술 한 바구니
가득 담으면
따신 밥 한 그릇

오미자

이름도 신기한데
맛도 신기해
다섯 가지 맛이

달고 신고 쓰고
짜고 매운 맛
없다면 심심하지 않아?

입속에서도 재밌으라고
작은 열매가
주는 즐거움

코스모스

꽃바람 살랑살랑
불어오는 길
손잡고 가볼까

카메라 찰칵찰칵
서로 이쁘다
좋아라 하지만

조용히 비켜주고
큰 키 낮춰 준
그 마음 참 곱다

사진이 이쁜 이유
이제 알겠네
네가 이쁜게야

사과꽃

사과나무 그늘에서
당신 무릎에
누워 보고 싶어

당신은 사각사각
깍은 사과를
입에 넣어 주고

머리에 붙은 꽃잎
떼어주려다
마주친 입술엔

달큼한 사과 향기
수줍어 웃는
당신은 사과꽃

달맞이꽃

캄캄한 밤하늘에
할머니 닮은
달 꽃 가득 피었네

내 새끼 잘 되라고
늘 사랑으로
안아 주셨는데

행여나 넘어질까
어두운 밤도
꽃으로 오셨나

환히 핀 달맞이꽃
할머니 닮아
가슴이 시린 꽃

참깨꽃

촘촘히 달린 꽃술
참깨 한 알도
허투루 생각 마

울 엄마 해지도록
참깨 터느라
부르튼 손바닥

새끼들 지름 짜서
줄 생각에
안 먹어도 배부르다고

참깨 꽃 지나칠 때
나던 그 냄새
아 이제 알겠네

천일홍

천 일을 기다려서
우리 함께 할
그날이 왔어요

한 걸음 한 걸음
나는 당신께
당신은 내게로

살며시 건네는 손
떨리는 입술
무슨 말을 할까

한 다발 붉은 연정
내 마음 담아
안겨 주고 싶어

개여뀌

개여뀌 너의 꽃말
처음 들어봐
'날 생각해 줘요'

아무도 기억 못해
섭섭했었니
매운맛 작은 꽃

한때는 약이 되어
배도 만져 준
너 이리 고운데

도토리

도토리 예전에는
주먹만 했데
산 아래 사람들

다녀간 그때부터
딱 한 입 크기
참나무 육 형제

산식구 먹이려고
작게 만든 맘
산에서는 욕심내면 안돼

한련

꽃밭이 아니어요
당신을 향한
마음 밭이란 걸

물에서 피지 못한
마음 추슬러
뭍에 두었어요

보셔요 수줍게 펴
하나 된 우리
그날 진홍빛 꿈

은행

한때는 귀한 열매
서로 주우려
대접받던 너를

중금속 뉴스 한 컷
천덕꾸러기
외면 당한 너를

가로수 심어달라
말한 적 없는데
사람이 문제다

나비바늘꽃

꽃일까 나비일까
가까이 보니
어! 한 몸이었네

나비는 꽃이 되고
꽃은 나비가
되었다는 전설

아는 이 없겠지만
둘은 여전히
한 몸 되어 피고

주름꽃

봄이 왔다
개나리 진달래
온갖 꽃들이 피었는데

엄마 얼굴엔
주름꽃이 피었다

세월이란 뿌리속에
흘린 눈물에서 꽃이 피고
내쉰 한숨에서 잎도 피었다

어느 꽃이
이쁘다 뽐을 내도
활짝 웃는
엄마 주름꽃이
젤 이쁘다

들꽃

들꽃처럼 살자
들판 가득 이름도 없는
작은 꽃들의 세상
때가 되면 피고 지고
작은 꽃이 하는 말
낮이 있으면 밤도 있는 법
햇빛을 뜨겁다 말고
어둠을 무서워 말고
나를 낮춰 조용히 피라고
봐준 이 없는 작은 꽃도
누군가는 알아볼 거야
바람은 바람대로
소나기는 소나기대로
겸허히 받아들여
너의 뿌리가 튼튼해지게
그리고 때를 기다리자
너를 닮은 작은 들꽃
활짝 피어날 그날

3 부 ,

엄마

엄마

엄마
겨울이 오고 있나봐
한 번 안아봐도 될까
어제만큼 허리가 더 굽었네
내 나이도 쉰 다섯
엄마처럼 살지 않겠다고
참 독하고 못됐지
그런데다가
바보같이
엄마의 반도 못 살았다

엄마
근데 있잖아
앞으로는 엄마처럼 살래
딱 엄마처럼만.

짧은 시1

갱년기

우리 집
최고 대장
다들 무섭데
이유는 난 몰라

노안

오늘은
어제보다
좀 더 가까이
멀어지지 말자

짧은 시2

새벽

쿵 쿵 쿵
박스 소리
택배 도착요
해님 깨기 전에

친구

너희들
참 이쁘다
언제까지나
함께 해 줄거지?

짧은 시3

사과

아침에
먹어볼까
우리, 한 쪽씩
꿀보다 달콤해

양말

한 짝이
안 보여서
버리고 나면
왜 그때 나올까?

짧은 시4

막걸리

비와요
부침개에
양은 잔 두 개
당신 오실 거죠

석가탄신일

부처님도
예수님도
사이좋게
행복하자구요

시는

시는 노래

인적 없는 숲길에 이름 없는
작은 들꽃이 부르는

부지런하게 하루를 견딘 노동자의
달고도 쓴 잔술이 부르는

악기 하나 없어도
시는 마음이 부르는 노래

끈(걱정)

늘 끈 하나 달고 다니는 당신

바람 한 줄기 당신 곁을 스치면
눈 질끈 감고 놓아버리세요

따가운 햇살 당신 어깨 닿으면
못 본 듯이 놓아버리세요

밤하늘 유성별 만나면 에라 모르겠다
별 꼬리에 날려버리세요

오늘은
꼭 웃는 당신 보고 싶어요

낮잠

반가운 봄소식 한아름 담아
너의 머리맡에 두었어
좋은 꿈 꾸는 걸까 엷은 미소
봄 햇살 어깨 두르고 활짝 피어 와줄래?

투명한 잔에 잎새 하나 띄워
너의 머리맡에 두었어
무슨 꿈 꾸는 걸까, 맺힌 땀방울
차 한잔 마시고 푸른 나무 되어 와줄래?

고슬고슬 따뜻한 밥 한 그릇
너의 머리맡에 두었어
너의 꿈속 내가 있을까
배부르게 먹고 고운 단풍으로 와줄래?

널 기다린 겨울, 털장갑 한 켤레
너의 머리맡에 두었어
너의 꿈속 내가 없어도 좋아
양손 가득히 흰 눈 담아 너에게 갈게

매미의 항변

여름은 나의 한 철

맴맴 울음소리 시끄럽다 마오
잠깐인데 이것도 못 참소

나무는 보이지 않고
뜨거운 유리창에
부러진 날개로 기대면

당신들 떠드는 소리
잠을 못 자오

가까운 숲이라도 알려주시오
내 실컷 울다 잠들게

혼적

카톡 주인이 바뀌었어도
내 연락처에
남아있는 아버지

아무도 탈 일 없는
전동휠체어
엄마는 닦고 또 닦고

전화 한 번 오지 않는
서랍 속의 핸드폰
무슨 생각을 하고 있을까

의젓한 흔적들.

여름

극한 폭염
극한 장마
극한 태풍

어쭙잖은 인간들
된통 당했다

네 탓 내 탓
따지지 말고

오는 가을엔
좀 더 겸손해지자

건강검진

드디어 비우는 날
멀건 흰죽
조금 먹여놓고

자꾸만 속을 비우라니
고약한 약물
마시고 또 마셔

배불러 다시 배가
부르다고요
위 아래 몸살이 나

하지만 또 생각해
이때 아니면
언제 비울까

속 깊이 숨어있는
나쁜 찌꺼기
깨끗이 청소할 때

신호가 또 온다
오늘만 가라
내일은 그냥 다

만원

갈비탕 만 오천 원
냉면 만 이천 원

조카들 용돈마저
오만 원권에 뺏기고
천 원도 카드가 되는 세상

세종대왕님 미소는
여전히 인자하잖니

우리 로또라도 사서
다정히 나누자

추석

가을밤 송편 빚는
울 엄마 옆엔
달님이 동무다

야들이 내일 올까
모레나 올까
오긴 오겠지유

침침한 눈이어도
동무 덕분에
송편이 참하다

지금

중년이 된 지금
걸어온 시간 속에
제일 좋았던 때를 물어본다면
망설이지 않고 지금이라고

혼란과 방황의 다리 건너
작은 것에 감사하고
큰 것은 나눌 줄 알게 되고
웃음에 인색하지 않고
잔잔하게 흐르는

어쩌면 그 때
작은 나는
지금의 나를 만나려고
열심히 걸어온 것이 아닐까

다시 돌아가
작은 나를 만나면
꼭 안아 주고 싶다

인천가족공원

일 년에 두 번
당신 만나러 가는 길

오늘도 난
꽃집 앞에서 망설입니다

한 끼의 밥
한 잔의 술 대신
꽃을 들고 만나야 할 당신

얼마나 다행인가요
그곳에 있는 당신
아직은 우리
같은 곳에 있는 것이라
생각하겠습니다

그거면 충분하기에
발걸음
무겁지 않습니다

갈매기

창공을 훨훨 나르던
갈매기들
이제 날지 못해

새우깡이란
괴물에
포로가 된지 오래

빛나던 날개 대신
포구 언저리
노숙자의 모습

한때는 주인공이었던
하늘을 기억하는지

불멍

캠핑의 마무리는
불을 보면서
실컷 멍 때리기

덥지도 않은가 봐
장작 추가요
불 속에 잠긴 밤

이참에 털어놓자
못다 한 얘기
탁 탁 재는 튀고

마음 속 찌꺼기도
던져 태울까
밤은 깊어 간다

달

오늘 밤도 창가에
날 기다려 준 너

너와 눈 마주치며
가만히 바라다보니

아!
너만 한 친구도 없겠다 싶어

정신없이 돌아가는
우주 하늘에

항상 그 자리에서
날 보던 너

나는 그런 너에게
별 얘기를 다 털어놓았지

너만 알고 있는 나의 얘기들
아직도 품고 있니
그런 너를 당연하다 생각했지
혹시 서운했을까

너만 한 친구를
이제야 생각했네

지는 꽃

너도 혼자 요양병원 침대에 누워
하루만 있어보렴
때가 되면 가야 한다 생각하지만
그 하루를 견딜 수 있을지

청춘이었던 세월이
밀어낸 노쇠한 육신
잡고 있던 기억의 손마저 놓아버리면
지는 꽃인 것을

한때는
아름답게 피었던 때를
누가 기억할까
다만 조용히 질 뿐

안경

안경을 분실한지
벌써 일주일
더듬 더듬이
모든 게 침침해

내 시도 분실한 지
벌써 일주일
연필만 굴리고
시가 꼭꼭 숨었다

진짜로 좋은 시는
마음의 눈이
알아본다고
누가 그랬었지

나는 잃어버린
안경 탓만
너 그러다가
영 시가 안 올라
맘속에 숨은 시

감자탕

어디쯤 오고 있니
국물은 끓고 창밖을 본다
눈이 먼저 올까 네가 먼저 올까

국자로 휘이 휘이
거품을 걷다 맹숭해져서
깍두기 하나를 천천히 씹었어

쓴 소주 한 잔을 마신다
눈이 먼저 오는데
너는 어디쯤 오고 있을까

잘 익은 뼈 하나
접시에 건져 살을 발랐어
부드러운 살이 왜 목에 걸릴까

꼭 같게 다정한 말
내리는 눈 속 메아리 되고
끓어 넘친 국물 불을 끄고
국물이 왜 짠지 모르겠어

집 앞 카페

테이블은 네 개
손님은 별로 없는
집 앞 카페
바리스타 사장님
커피 대신 책을 마시네요

눈치 보지 말고
오래 머물다 가세요
창가엔
사계절이 그네를 타고
나름 볼 만해요

가끔
갓 구운 쿠키
맛볼 수도 있죠
너무 달달해
졸음이 쏟아지기도 한답니다

4 부 ,

아버지는 왜 웃지
않았을까

강서구 방화동 246-8번지

도로명으론 찾을 수 없는 동네
그 골목길에 살던 아이
양 갈래 땋은 머리
손에는 이십 원 하는 새우깡
동네 오빠들과 오징어가이상, 십자가이상
짧은 다리로 잘도 뛰어다녔지
새까맣게 탄 얼굴 세수는 하나 마나

밤늦도록 술래잡기 동네 언니 오빠집
다락방에 숨어 잠이 들다가
집에 가면 계집애가 늦도록 다닌다고
꿀밤 한 대 맞고 먹는
식은 밥이 달기만 했어

구멍가게 십 원 짜리 뽑기
일등은 젤리 열 개
동내 친구들과 나눠 먹고
그 골목길에서
쑥쑥 자라 어른이 되었지

강서구 방화동 246-8번지
도로명으론 찾을 수 없는 동네
이제 골목 주인은 거인 레미안
이천 원으로 오른 새우깡 입에 물고
찾아 나선 골목길 입구
까맣게 탄 양 갈래머리
계집아이가 뛰어가고
새우깡 맛은 여전히 짭쪼름하다

내 친구 정숙이

난 뜨아 넌 얼죽아
커피 한 잔도
이리 다른 취향

다름이 틀린 것은
아니었는데
참 답답했었지

이제는 알 수 있어
얼죽아처럼
시원시원한 너

한 모금 뜨아처럼
조심스러운
날 이해해 준 너

아직도 가끔씩은
부딪히지만
그저 웃고 말지

보고 싶은 친구
그 카페로 나올래
기다리고 있을게

쌀을 씻다가

쌀을 씻다가
창밖을 본다
남편도 아이도
돌아올 시간
얼른 따뜻한
저녁밥을 지어야지

다시 창밖을 보면
손가락 사이
불은 쌀들이
이제 그만 하란다
큰 기침 한 번하고
쌀을 씻는다

이게 최선입니까
티비에선 누구에게 묻는 말일까

취사를 시작합니다
밥솥 기계음이
내 대신 답을 한다
밥이 다 될 때까지
한참 동안
창밖을 보았다

거울

내 뒷모습이 어떠니
허리는 꼿꼿하고
어깨는 활짝 펴고
굽은 목으로 눈치 보지 말고
걷는 걸음이 씩씩해야 할 텐데

언제라도 얘기해 주겠니
나의 뒷모습이 어떤지
오늘은 팔자걸음에 힘이 없어 보이니
크게 숨 한번 쉬고
반듯이 걸어야겠다

뒷모습이 아름다운 사람
너는 알아보겠지

봄은 지금부터야

알고 있니
얼어붙은 땅 깊은 그 곳
봄이 시작되고 있다는 걸

귀 기울여 봐
작은 싹들이 서로를
끌어안고 움트는 소리

가슴이 차가울 땐
나의 봄이 시작되려나 보다
그리 생각하렴

봄은 멀리 있지 않아

12월 14일 눈 대신 비가 내렸다

습기가 가득하다
물 머금은 나무는 자꾸만 가라앉고
새들은 미끄러운 가지에
외발로 중심 잡느라 애쓰는데
시를 쓰려다 술을 마셨다
세상에 시는 넘쳐나는데
자고 나면 시인은 태어나고
아무도 읽어주지 않는 시집은
고아가 된다
시인은 쓰는 일이 괴롭고
읽히지 않는 시은 외롭다
간절한 시가 사방에 넘치고
물먹은 시는 무거운 몸을
기댈 곳이 없는데
눈 대신 비가 오고
나는 시를 따라 마셨다

환승역에서

걷는 길이 꼭
직진일 수 있나

돌아가기도 하고
다른 길로 가기도 하지

걸을 수만 있다면
길을 믿어봐

길은 네가 걷는 만큼
데려다주니까

길은 끝까지
널 기다려줄 거야

네가 걷는 길이
바로 너란 걸 잊지 마

미역국을 끓이며

몸살이 오려나
으슬으슬 깔깔한 입
이런 날에는 미역을 불려
볶을수록 윤기 흐르는 초록 줄기

불을 줄이고 한참을 잊어도 돼
진득하게 끓은 국물에선
달큼한 젖내가 나고
낯익은 냄새는 어디서 왔을까

뱃속에 내 새끼
열 달 내내 잘못될까
삼신할머니 빌고 또 빈 손바닥
이틀을 배 훑어 세상에 내어놓고

헛헛한 뱃속을
달랠 건 멀건 미역국 한 대접
어머니 흘린 식은 땀 한 바가지
새끼 살이 되고 뼈가 되었다지

별것도 아닌 일
헛헛해져 서성인 날
진득이 끓인 국물에선
달큰한 어머니 젖맛 나고 따뜻한 피 돈다

유목

오늘도 누군가는
누울 곳 없어
별이 되었다고

수많은 집이 있어
그 집 어딘가
잠들 곳 있을까

저녁은 다시 오고
공원 벤치도
주인이 있는데

별빛이 너무 밝아
잠들 수 없어
밤새 걸어야 해

* 전세사기피해를 입은 분들을 생각하며

낙타

아이를 찾습니다
발가락 두 개
등에도 혹 두 개

한 번에 많이 먹고
필요할 때만
꺼내 쓰고요

무거운 짐 싣고도
투정 않고
무작정 걷는 애

혹시나 보셨나요
사막에서요
찾고 있습니다

몽고

불 꺼진 골목 사이
힘 빠진 어깨
한 사내가 있어

국밥에 반주한 게
지나쳤는지
풀린 걸음걸이

허허허 쓴 웃음만
토해 낼 때에
어스름 기억들

이제는 갈 수 없는
저 푸른 대지
언제 달려 갈까

사막

너에게 가는 그 길
한 발 또 한 발
빠져가며 갔다

푸석한 모래바람
막을 수 없어
온몸에 맞으며

뜨거워 데인 살에
벗겨진 허물
아픈 것도 참고

기다려, 너에게
가고 있는 나
빠진 이 한 발도

이력서

우리는
떨어지기 위해
모인 사람들

칸을 못 채운 사람
발전이 없으시군요
그게 아니라

칸을 채운 사람
끈기가 없으시군요
그게 아니라

변명은
테이블 밑에서
기어 다니고

참석해 주셔 감사합니다
떨어져 줘서 감사합니다

우리는
떨어지기 위해 모인 사람들

제발 구기지는 말아 주세요
무엇을 채우고 뺄 건지 알아야 하니까요

지하철 시간이 늦지 않아
감사합니다

아버지는 왜 웃지 않았을까

아버지는 잘 웃지 않으셨다
살면서 웃을 일이
그렇게 없었을까
웃음 없는 아버지 탓에
식구들도 웃지 못했다
어쩌다 웃을 일이라도 생기면
아버지는 큰 헛기침을 하며
우리의 웃음을 눌렀다

굳은 얼굴 꽉 다문 입
벌어도 벌어도
좋아지지 않는 살림살이
새끼들은 더 먹겠다고 싸우는데
아버지는 웃을 수 없었다
웃는 순간 불끈 쥔 주먹에
힘이 빠질까봐
더 이를 악물고 버텼을까

아버지 닮아
나도 잘 웃지 않았다
웃어도 뭔가 어색했다
살아보니
아버지와 달리
점점 웃을 일이 많았다
아버지의 굳은 얼굴도 아무렇지 않았다

아버지 나이 여든 넷에
나는 아버지의 웃는 얼굴을
처음 보았다
희미하게 비치던 미소
이제 내 할 일 다 했다
안심하고 떠나는 길
나도 웃으며
아버지를 보내 드렸다

아버지는 왜 웃지 않았을까
더 이상 생각하지 않기로 했다

원수를 사랑하라

일 년에 한 번
차려준 밥을 먹는다
해마다 같은 메뉴
밍밍한 맛이 나는 미역국
뒤집어보면 까맣게 탄 계란말이
직접 굽지 않은 포장김으로
한 상을 차린다

아침 내내 주방에선
난리법석을 떨고
난 모른 척 티비를 본다
다 차려진 식탁에 앉아
습관처럼 고생했네
한 마디를 건네고
밥을 먹는다

역시 밍밍한 국에
남자는 밥을 말아 잘도 먹는다
할 일을 끝냈으니
일 년이 편할 거라
분명 속으로 생각할 것이다

예전 엄마는
아버지를 원수라며
흉을 보셨는데
그러면서도
원수랑 잠을 자고 밥도 같이 먹었다
원수를 사랑하는 법을 어디서 알았을까

무엇이 기분 좋아
흥얼거리는
나의 원수의
뒷모습을 본다
가끔은 나도
원수였던 적이 있었겠지

아직도 못하고 있는 것

어릴 적 설날
우리 엄마
떡국 먹고
한 살 더 먹어야지

그 떡국을 먹고
먹은 나이가 배가 부르다

다시 돌아온 설날
떡국 한 수저
입에 대려다
이걸 먹고 무엇으로
나잇값을 하나

그동안 하지 못한
나잇값도
잔뜩 밀렸는데

차라리 설날을
까치에게
줘버릴까 보다

이런 생각을 하다니
진짜
나잇값도 못하는구나

엄마의 방학

엄마와 통화 중

"엄마 복지관 안 가?"
"복지관 방학인데"
"아! 엄마도 방학이네"

아버지 돌아가신 후
엄마는 방학 중이다

하지만
여전히 종류별로 김치를 담고
먹지도 않는 짠지를 무치고
덮지도 않는 이불을 발로 밟아 빨고
복지관에선 모범 학생
주말엔 하나님과 데이트
심지어 돈까지 버신다
방학인데 숙제는 넘쳐난다

눈길에 미끄러우니
밖에 나가지 마시라고
드린 전화에
방학이라 못 나간다는 말
또 무슨 숙제를 만들까
숙제 안 했다고
야단맞을 일도 없는데

하긴
일 없으면 늙는다는
엄마의 철학 앞에
내 얕은 생각이 부끄러울 뿐
"순무 김치 먹고 싶다"
생각 없이 한 말에
난 숙제 하나를 얹어 드렸다

엄마들은
방학 중에도
온갖 숙제를 떠안는다
그래야
살 수가 있나보다

후회

폭폭해 못 살겠네
어린 마음 뜻은 몰라도
괜히 슬펐다
할미 어디 아파? 밥 먹고 약 먹어

아니다 우리 아가 몰라도 돼
손녀 궁둥이 다독거리며
쓸어낸 가슴엔
무엇이 들었을까

설움에 겨운 평생
그때는
누구나 그리 살았대도
정작 본인 속은 까맣게 탔겠지

이제야
어렴풋이 알 것 같아
조금 더 일찍 알았더라면
사람은 떠났고 늦은 후회만 남는다

벚꽃 지던 날

사나흘은
더 있을 줄 알았는데

고작
그 며칠 피려고
먼 길을 걸어왔나

아직
눈에 마음에
너를 담지 못했는데

꽃눈이 흩날리는 밤
황홀한 꿈은 짧게 끝나고
사람들은 나무 밑을 서성거리지

저자의 말

보잘것없다 생각했던 저의 삶이
결국 저를 위로하고 있었나 봅니다

위로받을 곳 없어 헤매다가도
결국 그들에게 돌아가 위로를 받는다는 것
시를 품으면서 알게 되었습니다.

꽃향기 가득한 계절에
출판창작소에 초대해주셔서 감사합니다.